Histoires
à lire avec ma
MAMAN

FLEURUS

Sommaire

Le premier matin d'école

« **G**régoire ! Il faut te réveiller ! »

La voix de maman est douce comme un câlin. Derrière ses yeux fermés, Grégoire n'arrive pas à sortir de son sommeil.

« Grégoire, Grégoire ! Mon grand ! Il faut te lever pour ton premier jour d'école ! »

Tilt ! Les yeux de Grégoire s'ouvrent d'un coup.

Hop ! Il bondit hors de son lit. Il a suffi d'un mot magique pour le réveiller tout à fait. L'école, quelle aventure !

Grégoire se lave le bout du nez et commence à s'habiller.

Heureusement que maman est là :

« Attention, roi Dagobert, tu mets ta culotte à l'envers !

Regarde, l'étiquette de ton pull est du mauvais côté ! »

D'ordinaire, Grégoire se débrouille très bien tout seul.

Mais aujourd'hui n'est pas un jour comme les autres, et Grégoire bouillonne d'impatience.

Oh ! Un peu plus, et il allait mettre une chaussette verte avec une rouge !

Maman se met à rire : « Si ça continue, ta maîtresse va te faire remarquer que tu n'es pas à l'école des clowns ! »

Grégoire éclate de rire à son tour, tout excité.

À cet instant, il entend la porte claquer.

« Papa est parti au travail ? Sans m'embrasser ?

– Mais non, il revient ! Il est allé à la boulangerie. »

Mmm ! Ça sent la surprise ! Grégoire court à la cuisine, où les bras de papa l'attrapent au vol. Grégoire décolle du sol et reçoit un bisou très haut dans les airs : « Alors, bonhomme, prêt pour l'école ? Tu vas bientôt devenir aussi grand que moi ! Enfin, il faudra quand même beaucoup de jours d'école pour ça ! »

Grégoire éclate de rire à nouveau. Papa l'assoit devant un bol de chocolat et…

« Un croissant ! s'écrie Grégoire.

Mais les croissants, c'est pour faire la fête !

– Et ce n'est pas la fête d'entrer à l'école ? demandent ensemble papa et maman.

– Si », dit Grégoire en souriant de toutes ses dents qu'il plante aussitôt dans le croissant.

Un peu plus tard, le grand moment est arrivé. Direction **l'école !**

À l'entrée, les maîtresses sont là pour accueillir les enfants. Certains rient, d'autres ouvrent de grands yeux, d'autres crient à qui mieux mieux.

« Pourquoi ils pleurent ? demande Grégoire à sa maman.

– Ils sont timides. Ils ont un peu peur de l'école parce qu'ils ne la connaissent pas encore. Tu as peur, toi ?

– Non !

– Tu as raison. Bientôt, eux non plus n'auront plus peur. Il faut seulement qu'ils s'habituent.

– Bonjour, Grégoire ! dit la maîtresse. Bienvenue à l'école. Ta maman va t'accompagner jusque dans la classe. »

Mmmm ! Dans les couloirs, ça sent une bonne odeur. Une odeur toute nouvelle. L'odeur de l'école !

« Bonjour, Grégoire ! dit une dame souriante qui se tient à l'entrée
de la classe. Je suis la dame qui aide la maîtresse à s'occuper de vous.
Tu as l'air content de venir à l'école ! Bravo. Tu peux enlever
tes chaussures et enfiler tes chaussons. »

Scratch, scratch ! Grégoire range ses chaussures dans
un petit casier. Il accroche ensuite son gilet à un portemanteau qui est juste
à la bonne taille.

Cette fois, il est prêt ! Ah non, pas tout à fait. Il lui reste une chose importante
à faire avant d'entrer dans la classe pour découvrir son nouveau monde :

« Bisou, maman ! »

Le lutin Beau-Teint

« Je déteste les lentilles et les carottes ! »

Émilien a crié si fort que l'eau de son verre a sursauté, mais sa maman répond
d'un ton tranquille : « De toute façon, tu n'aimes rien, Émilien.

— Si ! J'aime les frites et les pâtes-sauce-tomate !

– Je sais. Mais si je te faisais toujours ces plats-là, tu deviendrais gros et gras. »

Émilien, rouge de colère, tape du poing sur la table.

Au lieu de se fâcher, maman lui dit alors : « Veux-tu que je te raconte une histoire ?

Il était une fois un minuscule lutin qui avait pour chapeau le bout pointu

d'une carotte. On l'appelait le lutin Beau-Teint…

– Pourquoi ? demande Émilien intrigué.

– Parce que mon chapeau me donne bonne mine », réplique une voix

bourrue qui monte de l'assiette.

Émilien écarquille les yeux. Au milieu de son assiette, bien installé sur les lentilles, il voit le lutin Beau-Teint.

L'étonnant personnage reprend d'un air faussement fâché: « Alors, mon bonhomme, on fait un caprice pour manger ?

Tu as tort de refuser ces lentilles. Elles cachent un trésor précieux. Bien plus précieux que les malles d'or d'une frégate de pirates.

– Ah… bon ? répond Émilien le souffle coupé.

– Creuse dans le tas, et tu verras ! » propose le lutin d'un air mystérieux.

Émilien ne se le fait pas dire deux fois : il attrape sa cuillère et se met
à piocher. Bouchée après bouchée, il dévore son plat sans même
s'en rendre compte, à la recherche du trésor enfoui.

L'assiette est vide.

Mais où est donc le trésor promis ?

« Dans ton ventre, mon garçon, dit le lutin. Tu as avalé le fer des lentilles.
Plus précieuses que l'or et l'argent, ses pépites vont te donner la force
d'un vrai pirate ! »

Émilien sent la moutarde lui monter au nez. On l'a bien attrapé !

D'un geste brusque, il enlève au lutin son chapeau de carotte, qu'il gobe tout
rond pour se venger. Le lutin décoiffé disparaît aussitôt comme par magie !

Juste à ce moment-là, maman dit :

« Bravo, Émilien !

Tu as tout mangé, même ta carotte !

L'histoire du lutin Beau-Teint aide toujours les enfants à finir leur assiette. »

Émilien n'y comprend plus rien. D'où sortait ce lutin ?

Mais déjà maman poursuit : « Tu as bien mérité ton dessert.

Que dirais-tu d'une glace vanille-chocolat ? »

Émilien sourit. Il dirait… qu'il n'y a pas de quoi faire une colère, cette fois !

En le voyant attaquer son dessert à grands coups de cuillère, maman éclate

de rire : « Quelle énergie ! On dirait un chef pirate en train de passer

à l'abordage ! Le lutin Beau-Teint n'a pas menti, tu sais… »

La machine à laver le singe

« Petit lapin, Petit lapin, où es-tu ?

– Je suis là, maman, répond Petit lapin.

– S'il te plaît, Petit lapin, apporte-moi Malin le singe.
Je vais laver les draps de ton lit et Malin aussi,
dit Maman lapin.

– Noooon, crie Petit lapin, pas Malin ! »

Petit lapin serre très fort Malin contre son cœur.

Il le renifle, le mordille, le respire encore.

C'est qu'il l'aime, ce petit singe tout doux !

« Il est vraiment trop sale, ton Malin,
s'exclame Maman lapin. Il doit se laver. »

Petit lapin réfléchit : si Maman lave Malin,
il ne sentira plus sa bonne odeur de singe.

« Noooon ! crie Petit lapin, pas Malin ! Moi, j'aime son odeur. »
Pourtant, il ne sent pas très bon, ce Malin. Il ne sent pas très bon des oreilles,
ni des orteils. Mais Petit lapin adore son odeur. C'est l'odeur des câlins,
celle qui console des gros chagrins.

Maman lapin prend Petit lapin dans ses bras.

« Ne t'inquiète pas, Petit lapin. La première heure, il sentira le propre,
mais après, quand tu l'auras bien mordillé, un peu mâchouillé,
il retrouvera sa bonne odeur de Malin. »

Maman a l'air bien décidée. Alors Petit lapin se gratte le front.

Il se demande si cela ne va pas lui faire mal, à Malin, d'être lavé.

«Noooon, crie Petit lapin, il va avoir mal !

— Mais non, c'est comme toi, le soir, quand tu prends
un bain et que tu joues
avec tes canards.

— Mais il va se noyer !
crie Petit lapin.

— Mais non, mon bébé,
répond Maman lapin,
les peluches ne peuvent
pas se noyer.

– Bon d'accord, dit Petit lapin. Mais où va-t-il se laver ? Dans la baignoire ?

– Non, c'est pour toi, Papa et moi, la baignoire, pas pour Malin.

Nous allons laver Malin dans la machine à laver le linge.

Ce sera la machine à laver le singe !

– Il ne va pas avoir peur ? s'inquiète Petit lapin.

– Non, tu vas lui faire un gros bisou pour le rassurer. Tu verras : il va

bien s'amuser. La machine, c'est comme un manège à doudous ! »

Petit lapin a le cœur gros, mais il obéit : il fait un câlin à Malin

et hop ! il le met dans la machine. Malin tourne, tourne, tourne

avec les draps, il danse avec les bulles de lessive !

C'est vrai qu'il a l'air de bien s'amuser, son Malin !

Malin ressort tout mouillé, l'air un peu fatigué d'avoir tellement ri.

Petit lapin veut le serrer dans ses bras tout de suite.

« Patience Petit lapin, il faut qu'il sèche maintenant pour qu'il retrouve son poil tout doux », dit Maman doucement.

Petit lapin attend longtemps, longtemps ! Enfin, ouf !

Maman lapin rend Malin à Petit lapin.

Il le prend dans ses bras, le serre très très fort, fronce le nez à l'odeur de la lessive et, sans y penser, commence à lui mâchonner la queue.

Il l'embrasse et lui souffle à l'oreille :

« Tu as été tellement courageux, mon Malin, je suis fier de toi ! »

J'ai pas sommeil !

« Les nageoires, pipi et au lit ! »

Colin le petit poisson n'écoute pas sa maman. Il est trop occupé à faire rouler ses oursins sur le super-circuit qu'il a installé avec ses cousins.

« Il est très tard, Colin ! Les cousins sont partis, maintenant il faut se coucher ! » insiste Madame Plancton.

« Je veux pas dormir ! » répond Colin, les écailles frémissantes.

Il tourne sur lui-même en faisant de grosses bulles et refuse de mettre son pyjama à rayures.

Madame Plancton se fâche et fait vibrer ses branchies un peu plus fort : « Dépêche-toi, Colin ! Je ne le répéterai pas ! »

Le petit poisson est vraiment très énervé. Il devient orange, puis rouge !

« Colin… Dernier avertissement ! »

D'un grand jet de bulles, Colin envoie au fond des coraux tous ses beaux oursins ! Il se met à gonfler comme un gros ballon :

« Je veux pas dormir, j'ai pas sommeil !

– Chut ! File dans ton anémone, s'il te plaît ! » répond maman d'une voix ferme. Mais Colin n'est toujours pas calmé.

Voilà qu'il commence à clignoter, comme la lumière d'un phare !

« Colin, tu es en train de faire une grosse colère ! »

Maman fait ses gros yeux qui font peur. Colin se décide enfin à mettre son pyjama et à se laver les nageoires.

« Maman a tout gâché ! Moi qui jouais si bien avec mes oursins !

Elle est méchante », pense-t-il.

En sortant du lagon de toilette, il se jette sur son anémone et tape de toutes ses forces avec sa queue contre le rebord de son lit.

« Je ne veux plus rien entendre !

Maintenant tu fais dodo ! » dit sa maman en fermant

le rideau d'étoiles de mer. Colin a complètement dégonflé.

Il pleure à présent. Les larmes coulent, coulent très fort.

Tout à coup, il fait noir. Oh ! *là, là !*

Une pieuvre géante jaillit devant lui avec d'immenses tentacules !

« Au secours ! Au secours ! » crie Colin.

Madame Plancton se précipite :

« Tu as fait un cauchemar, mon p'tit têtard ! »

Colin se réfugie dans les nageoires de sa maman.

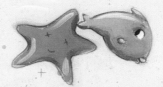

« Une pieuvre affreuse voulait me manger ! J'ai eu si peur !

– Calme-toi ! Tu vois que ce n'est pas bien de s'endormir tout énervé !

Tu es un tout petit poisson qui a besoin de sommeil.

Le soir, quand c'est l'heure de dormir, il faut se coucher sans discuter. »

Madame Plancton caresse les écailles de Colin et allume sa veilleuse-méduse.

« Tu veux bien me raconter une histoire, ma petite maman chérie ?

– Bon, d'accord. Connais-tu celle du marchand de sable ?

Il était une fois, au royaume de Neptune… »

Madame Plancton sourit. Colin, les yeux fermés, s'est déjà endormi…

« Bonne nuit, mon trésor des mers !

À demain ! »

L'heure de la sieste

« Ooooh ! J'ai trouvé mon lit ! »

Manon tape dans ses mains ! Elle va faire la sieste pour la première fois à l'école, juste à côté de sa meilleure copine, Lola !

« Les enfants, déposez vos chaussures et vos pull-overs dans le panier ! » demande la maîtresse.

Manon ne se sent pas du tout fatiguée. Elle danse, debout sur son lit, et fait rire tous ses amis.

« Manon, allonge-toi ! Maintenant, j'éteins la lumière ! Bonne sieste, les enfants ! »

Lola chuchote d'une petite voix : « Ma maman me raconte toujours une histoire pour que je m'endorme. Comment je vais faire ?

– Pas de problème, les histoires, moi, j'en connais plein ! » dit Manon.

Occupée à accompagner un enfant aux toilettes, la maîtresse retrouve Manon
en train de mimer un chevalier qui attaque un énorme dragon avec son épée.
Tous les enfants du dortoir écoutent, fascinés, la petite fille.

Manon ne voit pas la maîtresse s'approcher :

« Zou ! Au lit, miss coquine ! Tu as besoin de dormir ! »

Dommage ! C'est tellement drôle d'être aussi nombreux dans une chambre !

À présent, les enfants dorment tous profondément, enfin presque tous…

Dans la pénombre, Manon sort de son lit et décide de présenter son doudou
aux peluches des copains.

« Bonjour, Monsieur Lapin ! Je vous présente Roudoudou, mon serpent
doudou ! Oh, l'ours de Julien est aussi grand que lui ! Et lui, le chien qui a
une oreille cassée, comme il est drôle ! »

Quand la maîtresse, intriguée par des bruits, ouvre la porte, elle découvre tous les doudous des élèves assis en cercle, comme s'ils faisaient la ronde. Manon s'est jetée sur son lit et serre les paupières très fort pour faire croire qu'elle dort.

« Hum, hum, Manon ?

– Ouiii ?

– Tu sais, c'est important de faire une bonne sieste pendant ta journée à l'école, explique la maîtresse.

– J'aime pas dormir quand maman et papa ne sont pas là. Et puis, cette couverture, elle pique un peu. Moi, je veux jouer avec les copains !

– Papa et maman pensent très fort à toi et ils seront fiers quand tu leur raconteras que tu t'es endormie toute seule, sans faire d'histoires, dans le dortoir de l'école ! »

Manon serre Roudoudou contre son cœur. Elle joue et se sent bien, rassurée par les paroles de sa maîtresse. Et… oh ! là, là ! ses yeux se ferment tout seuls !

Chut ! Elle s'est endormie…

Une heure plus tard, dans la cour de récréation. Lola appelle sa copine pour jouer à cache-cache : « Manon, où es-tu ? »

Lola fait tout le tour de la cour, vérifie dans les toilettes, regarde sous le toboggan. Sa copine a disparu !

La cloche sonne et la maîtresse se demande elle aussi où se cache Manon.

« Maîtresse, viens voir ! » crie Julien.

Au fond de la cabane à vélos, recroquevillée sur elle-même, Manon rattrape son sommeil en retard et dort comme une marmotte !

« Manon, réveille-toi ! » appelle Lola.

Manon sursaute et aperçoit tous ses copains qui la regardent, amusés.

« Le dortoir est un bien meilleur endroit pour faire la sieste, tu sais ! » se moque gentiment la maîtresse.

Manon a compris la leçon : « J'ai hâte de retrouver mon petit lit.

Demain, c'est promis,
je serai la Belle au bois dormant du dortoir ! »

Les boutons de Timoléon

Ce matin, au réveil, Timoléon le petit champignon découvre un gros bouton rouge au bout de son nez.

« Maman ! appelle-t-il. J'ai un bouton sur le nez !

– Ce n'est rien, lui répond sa maman depuis la salle de bains où elle termine de se coiffer. Sors de ton lit maintenant.

– Si maman n'est pas inquiète, cela ne doit pas être très grave », se dit Timoléon en sortant de son lit. Mais alors – aïe ! aïe ! aïe ! – il aperçoit un deuxième gros bouton rouge, là, au bout de son pied !

« Maman ! crie-t-il de nouveau. J'ai un bouton sur le pied !

– Ce n'est rien, lui répond sa maman depuis la cuisine où elle prépare le petit déjeuner. Habille-toi vite, c'est bientôt prêt.

– Si maman n'est toujours pas inquiète, cela ne doit pas être très grave », se dit Timoléon en retirant son pyjama.

Mais alors – au secours ! – il aperçoit un troisième, un quatrième,

un cinquième… plein de gros boutons rouges sur son ventre tout blanc !

« Maman ! pleurniche-t-il. J'ai des boutons partout ! »

Cette fois-ci, sa maman accourt de la cuisine.

« Des boutons partout ? » répète-t-elle.

C'est bien vrai ! Le petit champignon d'ordinaire tout blanc est recouvert

de gros boutons rouges. On dirait qu'il est à pois maintenant !

« Mon Timoléon, tu as la varicelle !

– La varicelle ? s'inquiète le petit champignon.

– Ce n'est rien, le rassure sa maman. Ce ne sont que des boutons.

D'ici quelques jours, ils auront disparu. Mais à deux conditions…

– Lesquelles ? demande Timoléon.

– Que tu ne grattes pas tes boutons ! »

Ouille ! Cela ne va pas être facile. Rien que d'y penser, Timoléon
sent que ça le gratouille partout.

« Et quoi d'autre ? interroge-t-il timidement.

– Comme tu es contagieux, tu pourrais transmettre ta maladie à tes amis.

Il faut donc que tu restes à la maison pour te faire dorloter ! »

« Finalement, c'est chouette la varicelle ! » pense Timoléon.

Mais quelques jours plus tard…

« Tu vas retourner à l'école maintenant, lui annonce sa maman.

– J'ai encore plein de boutons, proteste Timoléon.

– Ils ne sont plus contagieux. Ils vont bientôt disparaître.

– Tout le monde va se moquer de moi ! se plaint-il.

– Allons, ne fais pas d'histoires, le gronde doucement sa maman.

Presque tous les petits champignons attrapent un jour la varicelle

et on ne se moque pas d'eux. »

Déçu, Timoléon baisse la tête et court chercher une grande écharpe

pour que personne ne voie ses boutons.

Mais dans la cour de l'école, il aperçoit un petit champignon qu'il

n'avait jamais vu auparavant. Il est rouge avec des pois blancs !

« Quelle chance ! Un autre malade ! » pense Timoléon en s'approchant.

« Bonjour, dit-il. Tu as eu la varicelle, toi aussi ?

– La varicelle ?

– C'est une maladie qui donne plein de boutons.

– Mais je n'ai pas de boutons ! s'exclame le drôle de champignon.

Ce sont des pois. Chez nous, les amanites, nous avons tous des pois blancs.

– Et personne ne se moque de vous ?

– Pourquoi, tu ne trouves pas cela joli ?

– C'est vrai que ce n'est pas vilain », pense Timoléon
qui retire alors son écharpe.

C'est ainsi que l'on vit un petit champignon
blanc à pois rouges jouer avec un autre,
rouge à pois blancs !

Qui aurait cru que la varicelle
permettait de se faire
de nouveaux amis !

Caramel fait des bêtises

Pour son anniversaire, Jules vient de recevoir une jolie petite abeille en peluche. « Regarde, Caramel, dit Jules à son doudou. Elle est belle et elle sent bon le miel. On va bien jouer tous les trois. »

Mais Caramel fait un peu la tête. Il n'a pas envie de regarder la petite abeille, ni de sentir la bonne odeur de miel.

« C'est bizarre, pour un ours, dit Jules. Tu boudes ?

– Pas du tout ! » Caramel bondit sur ses pattes et zou !

Il saute sur le canapé. Jules aussi, pour le rattraper !

Maman n'est pas contente, elle gronde Jules :

« C'est une bêtise de sauter sur le canapé. »

Mais Jules proteste : « C'est Caramel qui a commencé ! »

Quel coquin, ce Caramel ! Il court se cacher dans la chambre

de Jules et renverse par terre les chevaliers,

les petites voitures, les livres, les déguisements.

Quel désordre !

« Tu exagères, Caramel ! » s'exclame Jules.

Quand Maman pousse la porte, elle est en colère :

« Jules, c'est une grosse bêtise !

– Mais ce n'est pas moi, réplique Jules. C'est… »

Maman continue :

« Maintenant, tu vas tout ranger. Au travail !

– Aide-moi, méchant ours ! » dit Jules à son doudou.

Mais Caramel n'écoute pas, il court dans la salle de bains et il fait couler de l'eau dans la baignoire, juste comme ça ! Il se maquille en Indien, avec le rouge à lèvres de maman.

Cette fois-ci, Jules s'installe sur le canapé, avec son doudou sur les genoux. Il lui dit : « Que se passe-t-il, Caramel ?
Tu fais n'importe quoi ! »

Caramel se gratte la tête avec sa patte et avoue :
« Depuis que la petite abeille est là, tu ne m'aimes plus, voilà ! »

Jules serre Caramel dans ses bras et murmure :
« J'aime la petite abeille, mais je t'aime, toi aussi.
Je t'aime depuis toujours. Tu dormais dans mon berceau,
quand j'étais bébé. Tu étais caché dans mon sac à dos,
le jour où j'ai été à l'école pour la première fois.
Tu m'as consolé quand je suis tombé de vélo.

Tu es mon Caramel,
mon doudou à moi. »

Caramel est déjà un peu rassuré. Il baisse les yeux et dit :

« J'ai fait toutes ces bêtises car j'étais un peu jaloux de la petite abeille ! »

Maman a tout entendu.

Elle fait un petit clin d'œil à Jules et appelle :

« Au dodo ! Maintenant que vous avez fait la paix tous les deux, j'espère que vous allez être sages ! »

Caramel est encore inquiet. Il dit à Jules :

« Il reste un peu de place sur l'oreiller, pour la petite abeille. Mais vraiment une toute petite place, car il faut une grosse place pour moi : je suis un très gros ours ! »

Jules sourit :

« Toi, tu auras toujours la plus belle place dans mon cœur, car tu es mon doudou préféré. »

FLEURUS

Illustration de couverture : Céline Chevrel
Direction : Guillaume Arnaud
Direction éditoriale : Sarah Malherbe

Édition : Virginie Gérard-Gaucher
Direction artistique : Élisabeth Hebert
Conception graphique : Amélie Hosteing
Mise en pages : Timm Borg

Fabrication : Thierry Dubus, Aurélie Lacombe

© Fleurus, Paris, 2012
Site : www.fleuruseditions.com
ISBN : 978-2-2151-1876-3
MDS : 651 651
N° d'édition : 12013-01

Achevé d'imprimer en décembre 2011 par Dedalo Offset, Espagne
Dépôt légal : janvier 2012